这是我的书 It's MY BOOK 7级：400字

谁家的可可

力争上游

原作：胡一毕（Yibi Hu）
改编：秦志宁（Zhining Chin）

北京语言大学出版社
BEIJING LANGUAGE AND CULTURE UNIVERSITY PRESS

PHOENIX TREE
PHOENIX TREE PUBLISHING INC.

识读 游泳 敢 加油 办法
时候 胆子 周末

句型 ……吃……

字数 417 字

kě kě zài xué yóu yǒng yǒu yì tiān kě kě kàn
可可在学游泳。有一天，可可看
shang qu hěn shāng xīn mā ma wèn kě kě nǐ zěn me
上去很伤心，妈妈问：“可可，你怎么
le kě kě shuō yóu yǒng bān li de xiǎo péng yǒu yóu
了？”可可说：“游泳班里的小朋友游
de dōu bǐ wǒ hǎo mā ma lā zhe kě kě de shǒu
得都比我好……”妈妈拉着可可的手
shuō bié nán guò le wǒ men qù chī shuǐ guǒ bīng gùnr
说：“别难过了，我们去吃水果冰棍儿，
hǎo ma kě kě mǎ shàng gāo xìng qi lai hǎo
好吗？”可可马上高兴起来：“好！”

huí jiā hòu mā ma gào su bà ba zài
回家后，妈妈告诉爸爸：“在
yóu yǒng bān li kě kě yóu bu yuǎn yě bù gǎn qù
游泳班里，可可游不远，也不敢去
shēn shuǐ qū bà ba shuō wǒ men yì qǐ xiǎng xiang
深水区。”爸爸说：“我们一起想想
bàn fǎ lái bāng zhù tā ba
办法来帮助她吧！”

chī fàn de shí hou bà ba duì kě kě shuō
吃饭的时候，爸爸对可可说：
míng tiān shì zhōu mò wǒ men quán jiā yì qǐ qù gōng
“明天是周末，我们全家一起去公
yuán wán shuǐ hǎo bu hǎo nà li yǒu yí gè hěn dà
园玩水，好不好？那里有一个很大
de yóu yǒng chí kě kě shuō hǎo
的游泳池。”可可说：“好！”

dì èr tiān yì jiā rén lái dào le yóu yǒng chí
第二天，一家人来到了游泳池，
kě kě yóu de hěn qǐ jìn bà ba shuō kě kě
可可游得很起劲。爸爸说：“可可，
bà ba dài nǐ qù yí gè gèng hǎo wánr de dì fang
爸爸带你去一个更好玩儿的地方。”
kě kě gēn zhe bà ba yì qǐ qù le mā ma duì dì
可可跟着爸爸一起去了。妈妈对弟
di shuō yí huìr kàn jiàn jiě jie yóu yǒng yào
弟说：“一会儿看见姐姐游泳，要
dà shēng wèi tā jiā yóu dì di diǎn le diǎn tóu
大声为她加油！”弟弟点了点头。

kě kě hé bà ba lái dào le yí gè gèng dà
可可和爸爸来到了一个更大
de yóu yǒng chí zhè ge chí zi bù jǐn dà le hěn
的游泳池。这个池子不仅大了很
duō shuǐ yě shēn le yì xiē kě kě shuō shuǐ tài
多，水也深了一些。可可说：“水太
shēn le wǒ hài pà bà ba shuō bà ba gēn
深了，我害怕！”爸爸说：“爸爸跟
zài hòu miàn nǐ fàng xīn yóu ba
在后面，你放心游吧！”

yǒu bà ba zài shēn biān kě kě dǎn zi dà
有爸爸在身边，可可胆子大
le qi lai tā yòng shǒu shǐ jìn de huá shuǐ jiǎo yě
了起来。她用手使劲地划水，脚也
yòng lì de dǎ shuǐ mā ma shuō jiā yóu kuài
用力地打水。妈妈说：“加油！快
yóu dào chí biān le dì di yě dà jiào jiě
游到池边了！”弟弟也大叫：“姐
jie jiā yóu kě kě yuè yóu yuè yǒu jìn le
姐，加油！”可可越游越有劲了。

kě kě yóu dào le chí biān bà ba shuō
可可游到了池边，爸爸说：
wā kě kě nǐ yóu le hǎo yuǎn a kě
“哇！可可，你游了好远啊！”可
kě huí tóu yí kàn zhēn de zhè li shuǐ zhè me
可回头一看：“真的！这里水这么
shēn wǒ dōu cǎi bu dào chí dǐ kě shì xiàn zài wǒ
深，我都踩不到池底，可是现在我
bú pà le mā ma hé dì di jiàn kě kě zhè me
不怕了！”妈妈和弟弟见可可这么
yǒng gǎn dōu pāi qǐ shǒu lai
勇敢，都拍起手来。

1 可可在学游泳。有一天，可可看上去很伤心，妈妈问："可可，你怎么了？"可可说："游泳班里的小朋友游得都比我好……"妈妈拉着可可的手说："别难过了，我们去吃水果冰棍儿，好吗？"可可马上高兴起来："好！"

2 回家后，妈妈告诉爸爸："在游泳班里，可可游不远，也不敢去深水区。"爸爸说："我们一起想想办法来帮助她吧！"

3 吃饭的时候，爸爸对可可说："明天是周末，我们全家一起去公园玩水，好不好？那里有一个很大的游泳池。"可可说："好！"

4 第二天，一家人来到了游泳池，可可游得很起劲。爸爸说："可可，爸爸带你去一个更好玩儿的地方。"可可跟着爸爸一起去了。妈妈对弟弟说："一会儿看见姐姐游泳，要大声为她加油！"弟弟点了点头。

5 可可和爸爸来到了一个更大的游泳池。这个池子不仅大了很多，水也深了一些。可可说："水太深了，我害怕！"爸爸说："爸爸跟在后面，你放心游吧！"

6 有爸爸在身边，可可胆子大了起来。她用手使劲地划水，脚也用力地打水。妈妈说："加油！快游到池边了！"弟弟也大叫："姐姐，加油！"可可越游越有劲了。

7 可可游到了池边，爸爸说："哇！可可，你游了好远啊！"可可回头一看："真的！这里水这么深，我都踩不到池底，可是现在我不怕了！"妈妈和弟弟见可可这么勇敢，都拍起手来。

1

2

3

4

5

6

7